DE FIESTA EN OTOÑO

DE FIESTA EN OTOÑO

- ¡Todos al agua!

- La Fuente del vino

- En busca del oro carmesí

- Viaje al fin de la tierra

DIFUSION

Centro de Investigación y Publicaciones de Idiomas, S.L.
C/ Bruc, 21, 1º 2ª
08010 Barcelona

Colección **"Venga a leer"**
Serie "Aires de fiesta"

Autores:
Josefina Fernández y Clara Villanueva

Diseño de la colección y cubierta:
Ángel Viola

Ilustración de la cubierta:
Jaume Cluet

Elaboración de ejercicios:
Elvira Sancho

© DIFUSIÓN, S.L.
  Barcelona, 1996

ISBN: 84-89344-05-1
Depósito Legal: M-28254-1996
Impreso en España - Printed in Spain
Gráficas Rama, S. A.
Francisco Remiro, 8 - 28008 Madrid

¡TODOS AL AGUA!

La Fiesta del Charco

Es media tarde en la playa de La Aldea. Cientos de personas salen de una charca (1). Su aspecto es deplorable: llevan la ropa mojada pegada al cuerpo y tienen las manos, la cara y el pelo, cubiertos de fango (2). Amy Randall participa en una curiosa tradición de los antiguos habitantes de las Islas Canarias.

En la playa de San Nicolás de Tolentino, un pueblo de Gran Canaria, al que también llaman La Aldea, hay una gran expectación. Una multitud espera impaciente para participar en una divertida competición que tiene su origen en la cultura guanche.

Los guanches, pueblos de origen norteafricano, habitaban en las Islas Canarias cuando llegaron los españoles en el siglo XV. Estos pueblos, que vivían en la Edad de Piedra, desaparecieron pocos años después de la invasión. Pero algunos de sus ritos y tradiciones han llegado hasta hoy. Los más espectaculares son La Bajada de la rama y La Fiesta del Charco, que se celebran en septiembre en San Nicolás de Tolentino.

- "La existencia de estas fiestas es muy importante para nosotros", comenta Pedro Gómez, antropólogo y estudioso de la civilización guanche, "pues quedan pocos restos de la cultura indígena". Pedro es alto, rubio, fuerte, de carácter risueño (3); su aspecto coincide con descripciones que algunos escritores hicieron de los primitivos canarios. Quizás tenga algo de sangre guanche en las venas (4).

El día 8 llego a San Nicolás de Tolentino para participar en La Bajada de la Rama. Miles de personas de toda la isla suben a la cumbre de la montaña y desde allí bajan todos juntos al mar agitando ramas de pino. Mientras andamos entre la gente, Pedro me explica los orígenes de esta celebración.

- "La Bajada de la Rama era un rito para pedir a los dioses la lluvia". Hoy en día es un desfile (5) multitudinario (6) y alegre que tarda tres o cuatro horas en recorrer las calles del pueblo mientras la banda de música no cesa de tocar.

Pero sin duda, el acontecimiento más esperado por todos en la isla es La Fiesta del Charco, el día 11, que tiene su origen en la embarbasca, un tipo de pesca practicado por los guanches en las charcas. Consistía en echar en el agua una planta narcotizante (7). Así, los peces, adormecidos, subían a la superficie y podían ser pescados fácilmente en grandes cantidades. Aunque este método de pesca ya no se practica, los canarios siguen pescando en el charco, pero hoy en día lo hacen por pura diversión.

- "Me alegro de que estés aquí", dice Adela, la mujer de Pedro, "porque necesitamos más mujeres que participen. Como verás, todavía es una celebración casi exclusivamente masculina. Vamos a demostrarles que también sabemos pescar".

- "¡Pero si yo no he pescado nada en mi vida!", respondo, "¡Sólo puedo pescar un resfriado (8)!"

Cuando, poco antes de la fiesta, me dispongo a marchar a mi hotel para ponerme el bañador, me sorprenden las palabras de Pedro:

- "¿El bañador? Olvidé decirte que nos bañamos vestidos; no nos quitamos ni los zapatos."

- "¿Vestidos? ¿Cómo es eso?," pregunto extrañada.
- "Bueno, no siempre ha sido así", contesta. "Es una vieja historia. Hasta el siglo XVIII la gente se lanzaba desnuda al charco. Pero el obispo de Canarias, que vino a visitar el pueblo, se quedó escandalizado (9) al ver el espectáculo. Muy indignado, excomulgó (10) a todos los aldeanos y prohibió aquella costumbre. Desde entonces la gente se baña vestida."

Después de una larga sobremesa (11), nos dirigimos a la playa, donde hay una charca que es un pequeño lago de agua de mar. Es media tarde. El otoño está ya casi aquí, pero hace un tiempo primaveral, como prácticamente durante todo el año. Quizás por eso los griegos llamaron a las Islas Canarias Islas Afortunadas.

Alrededor de la charca nos encontramos más de doscientos participantes. Adela tenía razón, hay muy pocas mujeres. Los hombres, divididos en grupos, parecen tensos, dispuestos a lanzarse al agua en cualquier momento. A nuestro alrededor hay una gran algarabía (12).

De repente se hace el silencio. El lanzamiento de un cohete (13), el volador, por el alcalde (14), es la señal esperada. Los participantes nos lanzamos al agua. Entre tanta gente, resbalo (15) una y otra vez y me cae agua desde todos lados. En pocos momentos el agua se vuelve fango.

Por un momento todos parecen olvidar el concurso de pesca de la lisa (16) y se divierten jugando con el agua como niños. A mí me cuesta trabajo (17) tenerme de pie, tengo las zapatillas llenas de agua. Pero tras los primeros momentos de confusión, yo también me divierto.

Después de un rato nos reunimos por grupos y empieza la pesca. Unos utilizan las manos, otros sacos o bolsas. Los espectadores animan con gritos a los distintos grupos desde la orilla.

Con tanta gente y tanto fango me parece imposible que las lisas se dejen pescar.

De repente toco algo escurridizo (18) con mi mano. Entre Adela, que está a mi lado, y yo conseguimos atrapar un pez enorme.

- "¡Un pez, un pez!", grito entusiasmada. "¡Es la primera vez que pesco algo!"

Poco antes de la puesta del sol, se acaba el concurso. Mi equipo no ha conseguido el primer puesto. Pero para mí, el haber pescado un pez es como ganar un premio.

Cuando salimos de la charca nuestro aspecto no es muy elegante. Con la ropa pegada al cuerpo y el pelo cubierto de barro, parece que venimos de librar una batalla (19). Estamos muy cansados, pero contentos.

El Ayuntamiento ha preparado un camión cisterna (20) para limpiar el fango y el sudor a los concursantes. Pero muchos preferimos darnos un baño en el océano, con la puesta de sol, en un paisaje que todavía se parece al paraíso de los guanches.

GLOSARIO

1.- **charca:** pequeña laguna; se llama también charco.

2.- **fango:** sinónimo de barro; masa que forma la tierra con el agua.

3.- **risueño:** el que tiene una expresión alegre en su cara.

4.- **tener sangre guanche en las venas:** tener antepasados guanches.

5.- **desfile:** conjunto de personas que van caminando unos detrás de otros.

6.- **multitudinario:** que reúne a un gran número de personas.

7.- **narcotizante:** producto o sustancia que hace dormir.

8.- **pescar un resfriado:** resfriarse.

9.- **escandalizado:** enfadado al enterarse de un hecho que considera que no está bien.

10.- **excomulgar:** prohibir a un católico participar en la comunión - que es el ritual más importante de su religión - por haber cometido alguna falta muy grave.

11.- **sobremesa:** tiempo, después de una comida, en el que los que han comido juntos siguen reunidos en la mesa, charlando.

12.- **algarabía:** desorden que se produce cuando hay mucha gente hablando o gritando a la vez.

13.- **cohete:** cartucho de pólvora, unido a un palo, que se lanza al aire y explota con mucho ruido y luces de colores.

14.- **alcalde:** primera autoridad gubernativa en un municipio.

15.- **resbalar:** perder el equilibrio.

16.- **lisa:** una clase de pez de río.

17.- **costar trabajo:** tener dificultad para hacer algo.

18.- **escurridizo:** que se desliza fácilmente y por eso es muy difícil de coger.

19.- **librar una batalla:** combatir

20.- **camión cisterna:** camión que lleva en su parte posterior un gran depósito de agua.

A VER SI HAS ENTENDIDO

1.- Contesta a las preguntas.

¿Dónde tienen su origen *La Bajada de la rama* y la *Fiesta del Charco*?
¿En qué consiste actualmente *La Bajada de la rama*?
¿Cómo pescaban los guanches en las charcas?
¿Por qué se bañan vestidos el día de *La Fiesta del Charco*?

2.- Relaciona las informaciones según el texto.

La *Fiesta del Charco* tiene su origen en	○ ○	Las Islas Afortunadas.
Los guanches eran un pueblo de origen	○ ○	lisas.
Los griegos llamaron a las Islas Canarias	○ ○	un cohete.
En la *Fiesta del Charco* se pescan	○ ○	la embarbasca.
La señal para empezar el concurso de pesca es	○ ○	norteafricano.

3.- Di cuáles de estas afirmaciones son correctas.

- Los pueblos guanches se encuentran todavía en algunas partes de las Islas Canarias.
- La *Bajada de la rama* y la *Fiesta del Charco* se celebran en septiembre.

- Actualmente se sigue utilizando el mismo método de pesca que en la cultura guanche.
- En la *Fiesta del Charco* participan más hombres que mujeres.
- Para la pesca de la lima se utilizan redes.
- Amy Randall no consigue pescar ningún pez.
- El Ayuntamiento prepara un camión cisterna para limpiar el fango y el sudor a los concursantes.

4- Ordena las informaciones según el texto.

☐ El Obispo de Canarias se quedó escandalizado al ver el espectáculo.

☐ Desde entonces la gente se baña vestida.

☐ Muy indignado excomulgó a todos los aldeanos y prohibió aquella costumbre.

☐ Hasta el siglo XVIII la gente se lanzaba desnuda al charco.

5- Ordena las palabras siguientes para construir frases que tengan sentido. No olvides las mayúsculas.

➤ el volador, de un cohete, la señal esperada el alcalde por el lanzamiento es.

➤ a de la rama un era rito para pedir la lluvia la Bajada los dioses.

➤ la existencia nosotros estas fiestas de importante es para muy.

6- Marca con una cruz la información correcta.

Cuando salen de la charca los concursantes están:
☐ cansados y deprimidos.
☐ limpios y frescos.

☐ aburridos.
☐ cansados, pero contentos.

La Bajada de la rama:
☐ era un rito para celebrar el final del verano.
☐ era un baile popular de las islas.
☐ era un rito para pedir a los dioses la lluvia.
☐ era un tipo de pesca practicado por los guanches en las charcas.

Para el concurso de pesca
☐ la gente se reúne en grupos.
☐ la gente se distribuye por edades.
☐ la gente se reúne en parejas.
☐ los concursantes se ponen un traje especial.

7.- Razona las siguientes preguntas.

- ¿Por qué dice Pedro que es importante para ellos la celebración de estas fiestas?
- ¿Por qué se alegra la mujer de Pedro de la presencia de Amy?
- ¿Por qué está contenta Amy, si no ha ganado el concurso?
- ¿Qué diferencias crees que hay entre estas celebraciones tal como se hacen actualmente de como las hacían los guanches?

FUENTE DEL VINO

La Fiesta de la Vendimia

Dentro de los barriles (1), los hombres parecen bailar una danza milenaria (2). Los pies suben y bajan sin parar, pisando las uvas a un ritmo trepidante (3). Amy Randall se une a la celebración de la vendimia, la recogida de la uva, en una de las regiones vitícolas (4) más importantes de España.

El sol del otoño hace brillar los racimos (5) de uvas maduras. En carros arrastrados por lentos tractores, la uva recogida por los vendimiadores (6) es trasladada hasta los lagares (7). Es el tiempo de la vendimia en las distintas comarcas (8) vitícolas de España.

Son días de trabajo muy duro, de sol a sol (9). Pero cuando la uva está recogida, llegan los días de merecida diversión. Cada región celebra sus fiestas de la vendimia. Una de las más espectaculares tiene lugar en El Penedés, una comarca situada al sur de Barcelona que es famosa por su producción de cava, un tipo de vino espumoso parecido al champán francés. En esta comarca, el final de la cosecha se festeja (10) con una tradicional y multitudinaria celebración. Las fiestas de la vendimia tienen lugar, a mediados de septiembre, en la ciudad costera de Sitges.

Antes de acudir a las fiestas, he visitado una de las bodegas más importantes de San Sadurní de Noya, un pueblo cercano a Sitges y uno de los principales productores de cava. En la bodega trabaja Jordi Oriol, un joven vinicultor (11) que es experto en la historia vinícola de la zona.

- "Aquí se elaboran vinos desde el siglo II A.C.", explica Jordi, "cuando los comerciantes griegos y fenicios trajeron el vino a la zona. En tiempos de los romanos, grandes barcos cargados de ánforas (12) con vino viajaban desde Cataluña hasta Roma y Venecia."

Tras visitar la bodega, Jordi me acompaña hasta Sitges para participar en las fiestas. Llegamos a la ciudad cuando los actos están a punto de empezar. Un grupo de muchachas va desfilando por el paseo marítimo hacia el Palacio Maricel, donde una de ellas será elegida pubilla mayor, que es como se llama en catalán a la reina de las fiestas. Van vestidas con el traje tradicional de Cataluña: falda larga de flores, chal de encaje (13) y guantes negros de red.

Cuando salimos del Palacio, la multitud se dirige por una calle empedrada (14) que da al mar, y las campanas indican el inicio de las fiestas.

- "Tengo que dejarte ahora", me dice Jordi, "nos veremos dentro de un rato."

- "¿Entre tanta gente?," pregunto poco convencida.

- "No te preocupes, seguro que me verás."

No comprendo de qué está hablando, pero no tengo mucho tiempo de pensar en sus palabras. Debo concentrarme en mi trabajo. Quiero lograr una buena foto: sobre un escenario, la pubilla mayor, está sentada sobre uno de los enormes platos de una balanza (15). Aunque las fiestas españolas nunca dejan de sorprenderme, me pregunto para qué querrán saber cuánto pesa la pubilla. En el otro plato, un hombre va colocando con mucho cuidado el contrapeso (16) de la chica. ¡Pero no la pesa con kilos sino con botellas de vino! Las botellas se van amontonando hasta llegar a cuarenta. La pubilla mayor de este año pesa cuarenta botellas de vino de la última cosecha. ¡Y se las regalan todas a ella!

Estoy buscando a Jordi Oriol entre el público, cuando varios grupos de hombres vestidos con camisetas viejas, pantalones cortos y faja (17) roja, se abren paso (18) entre los asistentes. Se dirigen al escenario donde acaban de colocar unos enormes barriles llenos de uva. A su paso, los asistentes los aclaman (19) y los animan. Uno de ellos saluda hacia donde yo estoy, parece que me llama a mí. Ahora lo entiendo, Jordi va a participar con su peña (20) en el concurso de la pisa de la uva.

Me acerco todo lo que puedo a los concursantes. Su expresión es seria, de concentración, mientras esperan el momento de la señal. De dos en dos, cada equipo intentará pisar la mayor cantidad de uva posible.

Al oír al señal, Jordi y los otros concursantes se introducen en los barriles y empiezan a pisar las uvas a un ritmo muy rápido, subiendo las rodillas hasta la altura de la cintura. El público está pendiente de los agujeros que hay en el fondo de los barriles. Pronto empiezan a salir de ellos chorritos (21) de líquido, el zumo de la uva, que cae a unos cubos que hay debajo.

La piel y los huesos de las uvas pisadas salen disparados por todos lados. Tengo que limpiar el objetivo varias veces para que no me estropeen las fotos. Los concursantes están cansados e irreconocibles, empapados (22) de uvas y de sudor.

- "Ya van por el tercer cubo," oigo decir a una mujer que está a mi lado animando a una de las peñas.

- "Pero están agotados, no ganarán," le contesta otra mujer. Los hombres, como si hubieran podido oír la conversación, recuperan su ritmo.

Después de casi media hora de un ritmo trepidante, suena la señal que indica el final. Los concursantes, exhaustos (23), esperan impacientes a que el jurado termine de contar.

- "Treinta y ocho, treinta y nueve, cuarenta."

¡Cuarenta litros! Jordi y sus amigos tienen todavía fuerzas para saltar de alegría y los espectadores celebran con ellos su triunfo.

Pero las fiestas no han terminado y finalmente llega el momento que todos esperan. Cerca del mar, el sonido de los cohetes lanzados al aire atrae a una gran multitud. De una fuente pública sale vino tinto del Penedés. Todos llenamos nuestros vasos y brindamos para que este año sea una buena cosecha.

GLOSARIO

1.- barril: recipiente grande, de madera y de forma cilíndrica donde se guardan vinos y licores.

2.- milenario: que tiene miles de años.

3.- trepidante: rápido y sin interrupción.

4.- región vitícola: región donde se cultiva la vid, la planta cuyo fruto es la uva.

5.- racimo: conjunto de frutos que crecen de una misma rama.

6.- vendimiador: trabajador que recoge las uvas.

7.- lagar: la máquina que se utiliza para aplastar las uvas para extraer su jugo, o el edificio donde ésta se encuentra.

8.- comarca: división del territorio que comprende varias poblaciones.

9.- de sol a sol: desde el amanecer hasta el anochecer.

10.- festejar: celebrar una fiesta.

11.- vinicultor: persona que se dedica a la elaboración de vinos.

12.- ánfora: recipiente de cuello alto y delgado con dos asas que se utilizaba antiguamente para guardar y transportar líquidos.

13.- chal de encaje: prenda sin mangas, de tejido muy ligero, que las mujeres se ponen sobre los hombros o espalda.

14.- calle empedrada: calle en la que el pavimento está formado por piedras que se ajustan unas a otras

15.- balanza: instrumento utilizado para pesar.

16.- contrapeso: peso que sirve para equilibrar el otro lado de la balanza.

17.- faja: trozo de tela que antiguamente se ponían los hombres alrededor de la cintura, por encima de los pantalones. Actualmente, en general, prenda que se utiliza debajo de la ropa para sujetar la cintura.

18.- abrirse paso: pasar por entre un grupo de gente.

19.- aclamar: mostrar a alguien su aprobación con aplausos y con gritos.

20.- peña: asociación que reúne a personas que tienen un interés común.

21.- chorritos: diminutivo de chorros, caída continua de un líquido, en este caso el zumo de la uva.

22.- empapados: muy mojados.

23.- exhaustos: muy cansados.

A VER SI HAS ENTENDIDO

1- Contesta a las preguntas.

¿Dónde está situada la comarca del Penedés?
¿Qué se celebra en las fiestas de la vendimia?
¿Cómo es el traje tradicional de Cataluña?
¿En qué consiste el concurso de la pisa de la uva?

2- Completa las informaciones siguientes según el texto.

Pero cuando la uva está recogida, llegan . . . .
Llegamos a la ciudad cuando los actos . . . .
Después de casi media hora de ritmo trepidante, ...
Cerca del mar, el sonido de los cohetes . . . .

3- Di cuál de estas afirmaciones son correctas.

El Penedés es una comarca famosa por su producción de cava.
El cava es un tipo de vino espumoso parecido al champán.
San Sadurní de Noya es uno de los principales pueblos productores de cava.
La pubilla mayor debe pesar siempre cuarenta botellas de vino
Jordi y sus amigos pierden el concurso porque están muy cansados.
La fiestas terminan con el concurso de la pisa de la uva.

4- ¿Puedes ordenar estas frases según el texto?

☐ Pronto empiezan a salir de ellos chorritos de líquido, el zumo de la uva.

☐ Tengo que limpiar el objetivo varias veces para que no me estropeen las fotos.

☐ El público está pendiente de los agujeros que hay en el fondo de los barriles.

☐ La piel y los huesos de las uvas pisadas salen disparados por todos lados.

☐ Al oir la señal, Jordi y los otros concursantes se introducen en los barriles.

5- Di dónde está y qué se hace en cada uno de los lugares siguientes:

Sitges: . . . .

San Sadurní de Noya: . . . .

El Palacio Maricel: . . . .

6- Relaciona los siguientes dibujos y palabras y construye una frase que explique cada relación.

☐ Pisa de la uva
☐ Peso de la Pubilla Mayor
☐ Amy Randall
☐ Fin de Fiesta
☐ Vino tinto del Penedés

☐ . . . .
☐ . . . .
☐ . . . .
☐ . . . .
☐ . . . .

EN BUSCA DEL ORO CARMESÍ

La Monda de la Rosa del Azafrán

El sol todavía no ha salido. Es el último domingo de octubre y estamos a varios grados bajo cero. El parabrisas (1) de la furgoneta está cubierto de hielo; pero los manchegos se preparan para una fiesta muy esperada, después de días de intenso trabajo. Amy Randall viaja a La Mancha para ayudar a recoger la especia (2) más cara del mundo.

He llegado a La Mancha para asistir al tradicional concurso de la Monda (3) de la Rosa del Azafrán, que se celebra, el último domingo de octubre, en la gran plaza de Consuegra.

La plaza está tan llena de gente que apenas se puede pasar. Los jóvenes van vestidos con trajes típicos; un grupo de danzas, interpreta los bailes regionales y en unos puestos improvisados se pueden degustar los sabrosos quesos manchegos.

Las mesas para el concurso están preparadas. Sobre los manteles blancos hay varios montones de flores malva (4), las rosas del azafrán, que guardan en su interior unos valiosos estigmas (5).

Estos diminutos estigmas son los verdaderos protagonistas de la fiesta, porque con ellos se hace el azafrán, la especia más cara del mundo que se usa tradicionalmente en la cocina española para dar sabor y el color amarillo a platos típicos como la paella. El uso de esta especia es muy antiguo. Se han encontrado restos de azafrán en las momias egipcias; Homero lo menciona en sus escritos y los romanos crearon con él un afrodisiaco (6).

El mismo día del concurso, la familia de José Moya, que me ha invitado a asistir a las fiestas, se levanta antes de salir el sol. Están cansados después de varios días de duro trabajo, pero entre ellos reina un ambiente festivo. Para ellos, como para tantas otras familias de la zona, hoy es el último día de la cosecha del azafrán y sólo les quedan por recoger las flores de un campo.

Después de desayunar, cargamos en la furgoneta las cestas de mimbre (7); rascamos el hielo de los cristales y salimos al campo manchego. Todavía estoy medio dormida y no me parecen la hora y el lugar más adecuados para recoger la famosa y delicada especia.

Con las primeras luces del día, compruebo que los campos pedregosos que rodean al pueblo han florecido.

- "Es el día del manto (8)," dice la abuela que está sentada a mi lado. "Se llama así al día en que salen la mayoría de las rosas, cubriendo los campos de un manto de flores".

La abuela tiene razón; cientos de pequeñas flores malva crecen en líneas paralelas. La familia sale rápidamente de la furgoneta; cada uno coge una cesta y se sitúa al principio de una de las filas de flores y sin decir nada, empieza a recogerlas.

- "¿Por qué tienen tanta prisa?", le pregunto, bostezando (9) a José. "¿Va a empezar el concurso?".

- "No, el concurso es dentro de unas horas", me responde, "pero antes tenemos que recoger las rosas de nuestro campo y hemos de hacerlo pronto, antes de que salga el sol. Las flores, mojadas con el rocío (10), deben recogerse cerradas y enteras. Cuando el sol las abre es muy difícil recogerlas intactas."

Muy decidida, me uno al grupo empezando por una de las filas, pero, pronto me doy cuenta de que el trabajo es más duro de lo que pensaba. Hay que doblar la espalda para recoger unas flores que apenas pesan unos gramos; pero mis compañeros, acostumbrados al trabajo, siguen agachados (11), recogiendo una fila tras otra, casi sin parar.

En unas pocas horas, hemos conseguido recoger todas las flores del campo y con las cestas llenas volvemos a la furgoneta. Vamos a llevarlas al pueblo antes de dirigirnos a Consuegra, al concurso de la monda.

- "¿Cuánto azafrán crees que hemos recogido?", le pregunto a José, "aquí hay un montón de flores". "No te hagas ilusiones" (12) me contesta, "la nuestra es una producción muy pequeña, familiar. Hacen falta nada menos que 80.000 flores para producir una libra (460 gr.) de azafrán. Por eso es tan caro, porque el proceso de producción se hace a pequeña escala y es largo e intensivo. El precio sube y baja según la producción y la demanda, pero ha habido veces que el precio del azafrán ha sido más caro que el oro."

- "Ya estamos llegando a Consuegra" exclama Isabel, la mujer de José, y me alegro porque el traqueteo (13) de la furgoneta está acabando con mis huesos.

En el horizonte aparece la línea de molinos de viento sobre la colina y pienso en Don Quijote, el famoso héroe de La Mancha. Hoy también se celebra el Día Mundial de los Molinos de Viento.

El concurso está a punto de empezar. Consiste en sacar, en el menor tiempo posible, los estigmas de cien de flores. Participar en el concurso requiere una gran destreza (14) y ganarlo es, para los manchegos, un gran honor y un premio a un trabajo duro que, sin embargo, hay que hacer con mucha delicadeza. José Moya va a tomar parte en él.

- "Yo lo gané una vez hace diez años", comenta la abuela orgullosa, "pero ahora con la artritis (15) ya no tengo ligereza en los dedos".

Cuando se da la señal, todas las manos empiezan a moverse con una agilidad asombrosa. Con gran suavidad y rapidez, los concursantes van sacando los estigmas de las flores. Los dedos se van tiñendo (16) de amarillo a medida que los platos se van llenando de unos hilillos (17) rojos que brillan al sol de la mañana sobre los platos blancos. Las manos de José, unas manos de campesino, acostumbradas a la tierra áspera, se convierten, mientras dura el concurso, en ligeras mariposas.

- "Mondar las rosas no es tan fácil como parece", explica Isabel con la mirada fija en las manos de su marido; "hay que coger la flor con una mano y abrirla, de manera que con la otra mano se puedan sacar todos los estigmas de una vez sin desperdiciar ni uno."

Todos los concursantes son rápidos, pero este año el más rápido es José, quien termina de mondar las cien flores apenas unos segundos antes que sus contrincantes (18).

Un aplauso general celebra su triunfo. El juez le entrega el premio: una placa conmemorativa (19). La familia le abraza, orgullosa de llevarse el honor a su pueblo. Es la hora de volver a casa a comer el suculento gazpacho manchego (20) que ha preparado la abuela. Es una buena recompensa para mi cuerpo cansado que ha trabajado duro para recoger, en una mañana fría, el oro carmesí (21), la especia más cara del mundo.

GLOSARIO

1.- parabrisas: cristal delantero de los automóviles que protege del viento.

2.- especia: substancia vegetal que se usa en pequeña cantidad para dar un sabor fuerte, picante o excitante a las comidas.

3.- monda: acción de mondar, quitar la piel a una cosa, pelar.

4.- malva: planta silvestre que da unas flores de color característico entre azul pálido y rosado.

5.- estigmas: parte de las flores donde se recoge el polen.

6.- afrodisiaco: sustancia que excita el apetito sexual.

7.- mimbre: tiras vegetales finas y flexibles de una planta que se usan para hacer cestas.

8.- manto: prenda de ropa que se pone sobre la cabeza y que cubre todo o casi todo el cuerpo. En este caso se usa de forma metafórica para indicar que los campos están cubiertos de una capa de flores.

9.- bostezar: abrir la boca involuntariamente por efecto del sueño, el hambre o el aburrimiento.

10.- rocío: gotas de agua que se forman sobre las plantas y las cosas que están al aire libre, en las horas frías de la madrugada.

11.- agacharse: inclinar hacia abajo la parte superior del cuerpo doblando las rodillas.

12.- hacerse ilusiones: esperar que ocurra algo que no siempre es posible.

13.- traqueteo: movimiento repetido de una cosa produciendo ruido.

14.- destreza: habilidad.

15.- artritis: enfermedad que consiste en la inflamación de las articulaciones, las uniones de los huesos, por ejemplo de los dedos de las manos.

16.- teñir: dar a una cosa un color diferente del que tiene.

17.- hilillos: fibras muy finas.

18.- contrincantes: personas que compiten en un concurso.

19.- conmemorativa: que sirve para guardar el recuerdo de algo.

20.- gazpacho manchego: plato típico de la zona hecho con tortas de harina y con conejo. Este gazpacho es diferente del gazpacho andaluz, que consiste en una sopa fría hecha con verduras crudas.

21.- carmesí: de color rojo.

A VER SI HAS ENTENDIDO

1- Contesta a las preguntas.

¿Cuándo se celebra el concurso de la Monda de la Rosa del Azafrán?
¿Con qué se hace el azafrán?
¿Qué es el "día del manto"?
¿Por qué hay que recoger las rosas antes de la salida del sol?
¿En qué consiste el concurso?
¿Cómo se mondan las rosas del azafrán?
¿ Por qué es tan caro el azafrán?

2- Relaciona las informaciones de cada columna.

Los jóvenes ○   ○ van sacando los estigmas de las flores.

Un grupo de danzas ○   ○ son los verdaderos protagonistas de la fiesta.

En unos puestos improvisados ○   ○ van vestidos con trajes típicos.

Los diminutos estigmas ○   ○ interpreta los bailes regionales.

Los concursantes ○   ○ se pueden degustar los quesos manchegos.

3- Construye frases con los siguientes elementos, según el texto.

Los concursantes		muy caro.
Mondar las rosas no		rápidos.
El concurso	es	fácil.
El azafrán	son	preparadas.
El uso de la especia	está	llena de gente.
Ganar el concurso	están	muy antiguo.
La plaza		a punto de empezar.
Las mesas para el concurso		un gran honor.

4- Completa la información según el texto.

He llegado a la Mancha para . . . .

Sobre los manteles blancos hay . . . .

Cientos de pequeñas flores malva . . . .

Hacen falta 80.000 flores para . . . .

Con gran suavidad y rapidez, los concursantes . . . .

. . . .

5- Di si las siguientes afirmaciones son correctas.

El día del concurso todos se levantan a media mañana.

José Moya ganó el concurso hace diez años.

El premio del concurso es una placa conmemorativa.

El día del concurso se celebra también" El Día Mundial de los Molinos de Viento".

El azafrán se usa como especia para platos como el gazpacho.

6- Marca con una cruz la información correcta.

El precio del azafrán...
☐ es siempre el mismo.
☐ es el mismo que el del oro.
☐ sube y baja según la producción y la demanda.
☐ sube y baja según el precio del oro.

Las flores del azafrán...
☐ deben recogerse cerradas y enteras.
☐ deben recogerse abiertas y secas.
☐ deben recogerse por los estigmas.
☐ deben recogerse al mediodía.

Las manos de José...
☐ son ásperas y lentas.
☐ son ágiles y rápidas.
☐ son suaves y delicadas.
☐ son pequeñas como mariposas.

7- Busca entre las letras seis palabras de la historia.

```
E E N I D E S T I G M A
R M U D F N E D L E A F
F O D R L R A I R S N G
M A S M O L I N O P C E
O S V I R B M F S I H R
V C B A Z A F R A N A O
```

VIAJE AL FIN DE LA TIERRA

La Romería a San Andrés de Teixido

El ruido de las olas que golpean los acantilados (1) rompe el silencio de la Costa de la Muerte. Cerca de allí, en medio de un paisaje impresionante, los habitantes del lugar se preparan para tomar parte en un rito secular (2). Amy Randall se une a una de las romerías (3) más legendarias de España.

El mes de noviembre es, en España, el mes dedicado a los muertos. En casi todo el país se celebran fiestas que tienen su origen en antiguos ritos paganos en recuerdo de las almas. El mes empieza con la Fiesta de Todos los Santos, cuando las familias suelen visitar los cementerios para llevar flores a los familiares muertos, y termina, el día 30 con una de las romerías más míticas de Galicia, que se celebra desde los tiempos oscuros de la Edad Media.

Según la tradición gallega, Santiago, el santo más famoso de España, no fue el único apóstol (4) que llegó a Galicia. San Andrés llegó también por mar y se quedó junto a la costa. Cuando en la Edad Media se descubrió la tumba de Santiago y los peregrinos llegaban de toda Europa para visitar el santuario (5) de Compostela, San Andrés se puso triste porque él también estaba en Galicia pero a él nadie le hacía caso (6). Dios, para consolarle le dijo que los gallegos irían también a visitarle y si no lo hacían en vida, deberían hacerlo después de muertos.

La Romería al Santuario de San Andrés de Teixido, se celebra, cada año desde 1391. Con José Luis Ladoire, un periodista local, me uno a la romería en Cedeira, un pueblo junto a la costa, situado en una ría (7). El camino desde allí, está rodeado de montes cubiertos de jaras (8). Los caballos y las vacas pacen (9) libres junto al camino. Cuando salimos al monte, cada romero (10) coge una piedra del suelo y me animan a que yo también lo haga.

- "¿Pero para qué quiero una piedra?", le pregunto a José Luis.

- "Luego lo comprenderás", es su única respuesta.

Al principio, el grupo de peregrinos que me acompaña va caminando en silencio. A lo lejos se oye el ruido de las olas que chocan contra los acantilados.

Estamos cerca de Finisterre, donde en la Edad Media se creía que estaba el fin de la tierra, y de la Costa de la Muerte, llamada así porque muchos barcos desaparecían bajo las aguas. Aquí, todavía hay gente que cree en supersticiones muy antiguas. En estos montes abundan los lagartos y las serpientes, y los romeros tienen mucho cuidado de no pisarlos. Según la leyenda, podrían ser gallegos que en vida no fueron a San Andrés y que se han reencarnado (11) en animales.

Mientras avanzamos en el camino los romeros empiezan a charlar entre ellos. Hablan entre susurros (12) y me acerco a escuchar lo que dicen.

- "Hay que volver antes de la noche, para no encontrarnos con La Santa Compaña", oigo que dice uno de ellos.

- "¿Qué es La Santa Compaña?," le pregunto.

- "Es una procesión de almas errantes (13), que no han conseguido el descanso eterno porque no fueron en vida a San Andrés. Por las noches se dirigen, entre murmullos de campanillas, al santuario, para cumplir de muertos lo que no hicieron en vida".

Muchos gallegos creen que ver a la Santa Compaña es un anuncio de la propia muerte, por eso, en cuanto cae la noche, evitan andar por los caminos solitarios o los bosques.

Según nos alejamos del pueblo, comprendo el por qué de las piedras que los romeros cargan en el bolsillo. El camino está lleno de amilladoiros.

- "Es una palabra gallega," me explica por fin José Luis. "Son montones de piedras donde los peregrinos echan cada uno la suya. Según la leyenda, las piedras hablarán el día del Juicio Final (14) en nombre de los peregrinos que las dejaron aquí, como prueba de que fueron a San Andrés."

Antes de llegar a San Andrés, José Luis y yo, damos un rodeo (15) y nos acercamos a Herbeira, que es el acantilado más alto de Europa. Dentro del mar hay una gran roca. La leyenda dice que es la barca petrificada, en la que el santo llegó a este lugar, sin vela y sin tripulantes.

Poco después, volvemos al camino y comenzamos la bajada. Junto al camino hay tres enormes amilladoiros. En uno de ellos me decido a depositar mi piedra como testigo de que yo también he estado, en vida, en San Andrés de Teixido. Por si acaso (16).

En la actualidad, muchos de los que visitan el santuario lo hacen para disfrutar de la belleza del paisaje; sin embargo algunos van porque tienen fe, ya que el lugar todavía tiene fama de milagroso. Al llegar, bebemos de una fuente cercana cuya agua aseguran los lugareños (17), puede curar enfermedades.

A la puerta del santuario, las mujeres de la aldea me acosan (18), intentando venderme una extraña hierba.

- "Es la herba namoradoira, me dice una de ellas. "Con ella puedes hacer que todos tus amores sean correspondidos"

Las mujeres venden también los famosos sanandreses. Son unas figuritas de artesanía popular, hechas con miga de pan coloreadas y endurecidas al horno, que representan las reliquias (19) del santo: la barca con la que llegó a las costas gallegas, la mano y el pez, que es el símbolo del cristianismo. Estas figuritas son amuletos (20) que protegen de los males y dan buena suerte y felicidad a quien los lleva. Como más vale prevenir que curar (21) me compro también uno, de recuerdo.

Al fin entramos en el santuario donde los exvotos (22) dan fe (23) de la fama de milagroso del santo. La imagen del santo, vestida con una túnica roja y dorada, está de pie en un altar adornado de forma muy barroca. Aunque he visto en muchos santuarios españoles, exvotos de formas muy curiosas, no dejo de sorprenderme cuando veo, colgado de la nave, un ataúd (24). Mi amigo me explica que algunas personas creen que los milagros de San Andrés han llegado a resucitar a los muertos.

Por la tarde, tras un día intenso y cansado, los peregrinos, y yo con ellos, emprenden el camino de vuelta. No quieren que la noche les sorprenda por el camino porque temen encontrarse con la otra romería, la que tendrá lugar entre las sombras, la de La Santa Compaña.

GLOSARIO

1.- acantilado: parte de la costa formada por rocas cortadas de forma vertical.

2.- secular: algo que existe desde hace siglos.

3.- romería: viaje hecho a pie para visitar un lugar santo.

4.- apóstol: según las creencias cristianas, cada uno de los doce discípulos de Jesucristo.

5.- santuario: templo en que se venera la imagen o reliquia de un santo.

6.- hacer caso: prestar atención.

7.- ría: entrada del mar en la tierra. Las rías son características de la costa de Galicia.

8.- jaras: un tipo de arbusto de hojas vistosas y flores blancas.

9.- pacer: acción de comer los animales la hierba del campo.

10.- romero: persona que va de romería.

11.- reencarnarse: volver a nacer con otro cuerpo diferente.

12.- susurro: sonido sordo y suave que se produce al hablar en voz baja.

13.- errante: que va de un sitio a otro, sin un destino fijo.

14.- Juicio Final: según la tradición cristiana, es el juicio que se celebrará después del fin del mundo para dar a cada hombre el premio o castigo que merezca.

15.- dar un rodeo: desviarse del camino directo y tomar otro más largo.

16.- por si acaso: en caso de que ocurra algo.

17.- lugareños: personas que viven en un lugar.

18.- acosar: preguntar o pedir algo a alguien muchas veces de manera molesta.

19.- reliquias: restos del cuerpo de algún santo o de cosas que han estado en contacto con él.

20.- amuleto: objeto al que se le atribuyen virtudes mágicas y que se lleva encima para que dé buena suerte o proteja del mal.

21.- más vale prevenir que curar: dicho popular que significa que es mejor preparase y evitar que ocurra algo malo que esperar a que ocurra.

22.- exvotos: objetos hechos de plástico o de cera que se dejan en una ermita y que se ofrecen a un santo para darle las gracias por una curación; por lo general recuerdan la enfermedad o el miembro curado, como por ejemplo, un brazo, una pierna o un corazón.

23.- dar fe: ser testigo de algo y declararlo.

24.- ataúd: caja, generalmente de madera, donde se pone a una persona muerta para enterrarla.

A VER SI HAS ENTENDIDO

1- Contesta a las preguntas.

¿Con qué fiesta empieza el mes de noviembre en España?
¿Qué hacen las familias en la Fiesta de Todos los Santos?
¿Por qué, cuando salen al monte, coge cada romero una piedra?
¿Por qué se llama así La Costa de la Muerte?
¿Cuál es el exvoto qué más sorprende a Amy?

2- Relaciona los elementos de las siguientes columnas sobre las creencias del lugar.

La Santa Compaña   ○   ○   han llegado a resucitar a los muertos.

Los lagartos y las serpientes   ○   ○   son amuletos que dan suerte.

La roca en el mar   ○   ○   anuncia la propia muerte.

La herba namoradoira   ○   ○   es la barca petrificada de san Andrés.

Los sanandreses   ○   ○   hace que los amores sean correspondidos.

Los milagros de San Andrés   ○   ○   son gallegos reencarnados.

3- Verdadero o falso.

	V	F
-La Romería al Santuario de San Andrés se celebra desde el S.XIV.	☐	☐
-Cedeira es un pueblo situado en lo alto de un monte.	☐	☐
-Actualmente nadie en Galicia cree en estas supersticiones tan antiguas.	☐	☐
-Los romeros tiran piedras a todos los lagartos y serpientes que encuentran en el camino.	☐	☐
-La Santa Compaña es una romería que se hace desde Cedeira.	☐	☐
-Los sanandreses son figuritas de artesanía popular, hechas de migas de pan.	☐	☐

4- Razona las siguientes preguntas.

-¿Por qué, según la leyenda, prometió Dios a San Andrés que todos los gallegos irían a visitarle?

-¿Por qué quieren los romeros regresar antes de la noche?

-¿Por qué compra Amy un sanandrés?

-¿Qué significan los exvotos colgados en la nave del santuario?

-¿Conoces alguna leyenda o superstición de tu país similar a las descritas en esta historia?

5- En la historia nos cuentan algunas de las creencias antiguas del lugar. Anota las que te parecen más interesantes.

. . . .
. . . .
. . . .

6- ¿Puedes ordenar estas frases según el texto?

- Me sorprendo cuando veo, colgado de la nave, un ataúd.
- Mi amigo me explica que algunas personas creen que los milagros de San Andrés han llegado a resucitar a los muertos.
- Al fin entramos en el santuario donde los exvotos dan fe de la fama de milagroso del santo.
- La imagen del santo está de pie en un altar adornado de forma muy barroca.

7- Dibuja el santuario de San Andrés, tal como te lo imaginas.

VENGA A LEER

NIVEL 0 (principiantes en el primer año de estudios):

- **Vacaciones al sol** (serie "Lola Lago, detective")
  L. Miquel y N. Sans.—36 págs.—ISBN 84-87099-71-8
- **Los reyes magos** (serie "Plaza Mayor 1")
  L. Miquel y N. Sans.—36 págs.—ISBN 84-87099-70-X

NIVEL 1 (principiantes en el primer año de estudios):

- **Poderoso caballero** (serie "Lola Lago, detective")
  L. Miquel y N. Sans.—56 págs.—ISBN 84-87099-31-9
- **Por amor al arte** (serie "Lola Lago, detective")
  L. Miquel y N. Sans.—68 págs.—ISBN 84-87099-28-9
- **El vecino del quinto** (serie "Plaza Mayor 1")
  L. Miquel y N. Sans.—56 págs.—ISBN 84-87099-06-8
- **Una nota falsa** (serie "Lola Lago, detective")
  L. Miquel y N. Sans.—36 págs.—ISBN 84-87099-73-4
- **Reunión de vecinos** (serie "Plaza Mayor 1")
  L. Miquel y N. Sans.—36 págs.—ISBN 84-87099-72-6
- **... Pero se casan con las morenas** (serie "Hotel Veramar")
  D. Soler Espiauba.—40 págs.—ISBN 84-87099-83-1

NIVEL 2 (falsos principiantes, finales del primer año de estudios):

- **La llamada de La Habana** (serie "Lola Lago, detective")
  L. Miquel y N. Sans.—48 págs.—ISBN 84-87099-11-4
- **El cartero no siempre llama dos veces** (serie "Plaza Mayor 1")
  L. Miquel y N. Sans.—72 págs.—ISBN 84-87099-12-2
- **Vuelo 505 con destino a Caracas** (serie "Primera Plana")
  L. Miquel y N. Sans.—72 págs.—ISBN 84-87099-10-6
- **Lejos de casa** (serie "Lola Lago, detective")
  L. Miquel y N. Sans.—36 págs.—ISBN 84-87099-74-2
- **Moros y cristianos** (serie "Hotel Veramar")
  D. Soler Espiauba.—48 págs.—ISBN 84-87099-84-X
- **Más se perdió en Cuba** (serie "Hotel Veramar")
  D. Soler Espiauba.—48 págs.—ISBN 84-87099-82-3

NIVEL 3 (estudiantes intermedios):

- **¿Eres tú, María?** (serie "Lola Lago, detective")
  L. Miquel y N. Sans.—56 págs.—ISBN 84-87099-04-1
- **De fiesta en invierno** (serie "Aires de Fiesta")
  C. Villanueva y J. Fernández.—32 págs.—ISBN 84-87099-95-5
- **De fiesta en primavera** (serie "Aires de Fiesta")
  C. Villanueva y J. Fernández.—32 págs.—ISBN 84-87099-97-1
- **De fiesta en verano** (serie "Aires de Fiesta")
  C. Villanueva y J. Fernández.—32 págs.—ISBN 84-87099-96-3
- **De fiesta en otoño** (serie "Aires de Fiesta")
  C. Villanueva y J. Fernández.—40 págs.—ISBN 84-89344-05-1

NIVEL 4 (estudiantes avanzados):

- **Una etiqueta olvidada** (serie "Almacenes La Española")
  Ch. Garcés y J. P. Nauta.—38 págs.—ISBN 84-87099-20-3
- **Transporte interno** (serie "Almacenes La Española")
  Ch. Garcés y J. P. Nauta.—38 págs.—ISBN 84-87099-21-1
- **Ladrón de guante negro** (serie "Hotel Veramar")
  D. Soler Espiauba.—56 págs.—ISBN 84-87099-01-7

NIVEL 5 (estudiantes en los cursos superiores):

- **Doce rosas para Rosa** (serie "Hotel Veramar")
  D. Soler Espiauba.—56 págs.—ISBN 84-87099-05-X